엄마가 정말 좋아요 미야니시 다쓰야 글·그림 | 이기웅 옮김

첫판 1쇄 펴낸날 2015년 6월 5일 • 첫판 4쇄 펴낸날 2015년 11월 25일
펴낸이 이호균 • 펴낸곳 길벗어린이(주) • 등록번호 제10-1227호 • 등록일자 1995년 11월 6일
주소 10881 경기도 파주시 문발로 214-12 • 대표전화 031-955-3251
팩스 031-955-3271 • 홈페이지 www.gilbutkid.co.kr • ISBN 978-89-5582-329-5 77830

OKAASAN DAISUKIDAYO
All rights reserved.
Text and illustrations copyright ⓒ Tatsuya Miyanishi 2014
First published in Japan in 2014 by KIN-NO-HOSHI SHA Co., Ltd.
Korean edition copyright ⓒ 2015 by Gilbut Children Publishing Co., Ltd.
Korean translation rights arranged with KIN-NO-HOSHI SHA Co., Ltd.
through Eric Yang Agency, INC.

이 책의 한국어판 저작권은 에릭양에이전시를 통해 저작권자와 독점 계약한 길벗어린이(주)에 있습니다.
저작권법에 따라 한국 내에서 보호를 받는 저작물이므로 무단 복제와 전재를 금합니다.

이 책의 국립중앙도서관 출판예정도서목록(CIP)은 서지정보유통지원시스템 홈페이지(http://seoji.nl.go.kr)와
국가자료공동목록시스템(http://www.nl.go.kr/kolisnet)에서 이용하실 수 있습니다.(CIP 제어번호 : CIP2015012029)

엄마가 정말 좋아요

미야니시 다쓰야 글 그림   이기웅 옮김

길벗어린이

난 있잖아, 엄마가 정말 좋아.

엄마는 "얼른 일어나!
또 늦잠이야."
라고 말해. 하지만

"잘 잤니?" 하면서
다정하게 꼭 안아 주면
난 있지,
그런 엄마가 더 좋아.

엄마는 "빨리 세수해!"
라고 하지만

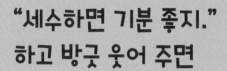

"세수하면 기분 좋지."
하고 방긋 웃어 주면

난 있지,
그런 엄마가 더 좋아.

엄마는 "꾸물거리지 말고
얼른 입어! 늦었잖아!"
라고 말해. 하지만

"우와, 대단해!
혼자서 잘 입었네."
하고 말해 주면

난 있지,
그런 엄마가 더 좋아.

엄마는 "흘리지 좀 마! 몇 번을
말해야 알아들어. 얼른 먹어!"
라고 말해. 하지만

엄마는 "빨리, 빨리!
서둘러! 늦었잖아!"라고
화를 내. 하지만

"오늘도 신나게 놀아.
조심해서 잘 다녀와."
하고 말해 주면

난 있지,
그런 엄마가 더 좋아.

그리고
"다녀왔습니다."
했을 때도

엄마는 "흙투성이로 오면 어떡해!
빨래하기 힘들게!"
라고 말해. 하지만

"하하, 흙투성이가 됐네.
재미있었어?
실컷 놀아서 좋았겠네."
하고 말해 주면

난 있지,
그런 엄마가 더 좋아.

엄마는 "뭐 하는 거야!
그렇게 많이 못 들잖아!
안 돼!"라고 말해. 하지만

"괜찮아? 다치지 않았어?
도와줘서 고마워." 하고 말해 주면

난 있지,
그런 엄마가 더 좋아.

엄마는 "그만 좀 하고 얼른 목욕해!
맨날 게임이랑 만화야!"
라고 말해. 하지만

"오늘은 같이 목욕하면서
이야기할까?" 하고 말해 주면
난 있지,
그런 엄마가 더 좋아.

엄마는 "얼른 안 자! 이 녀석,
지금 몇 시인 줄이나 알아!"
라고 말해. 하지만

"안 자도 되니까 이불에서 같이
뒹굴뒹굴할까?" 하고 말해 주면
난 있지,
그런 엄마가 더 좋아.

"엄마, 안녕히 주무세요."

"그래, 잘 자."

엄마도 있잖아, 네가 정말 좋아.
그런데……

자꾸 혼내기만 해서
미안해.

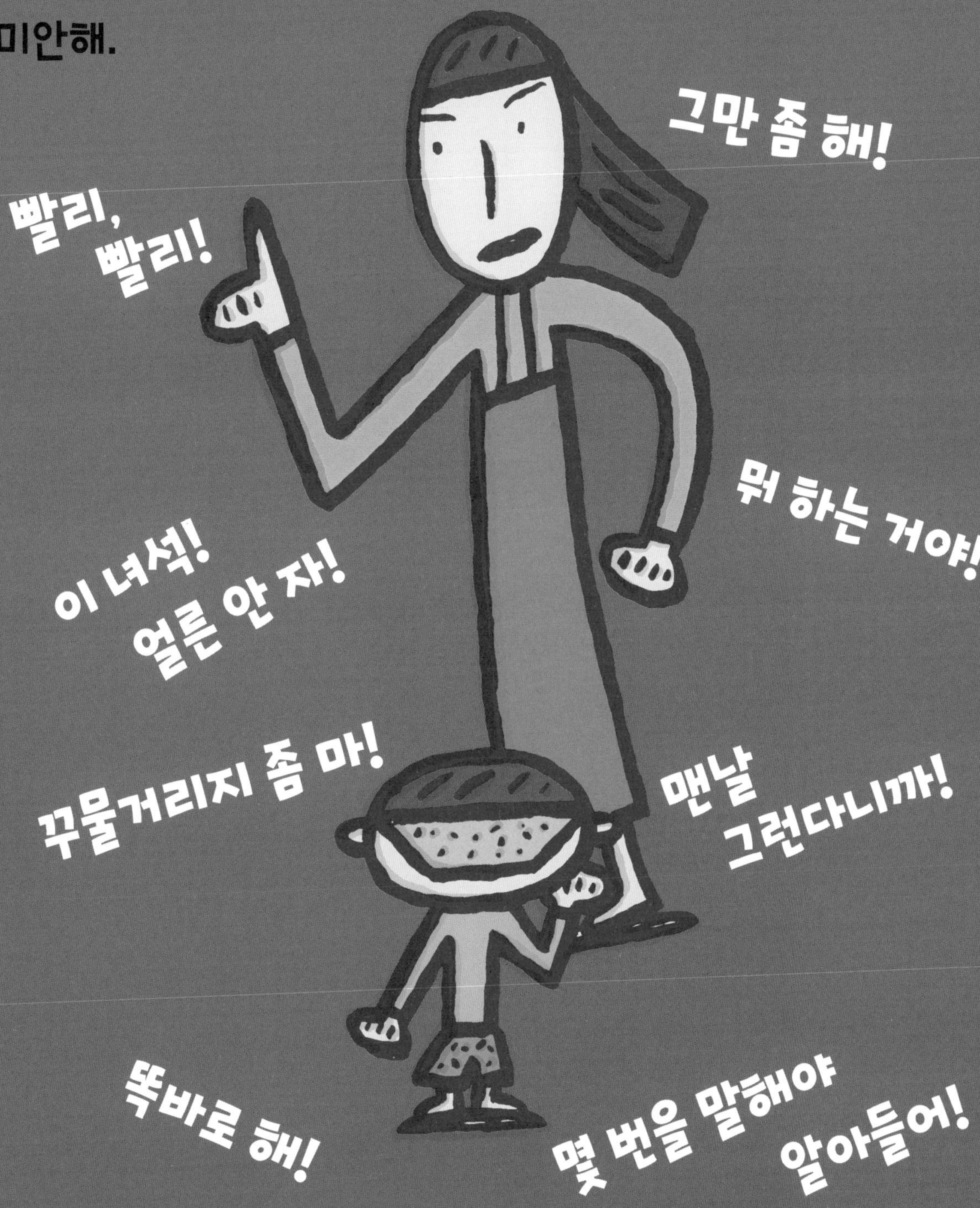

이런 엄마라도
좋아한다고 말해 줘서 고마워.

태어나 줘서 고마워.

엄마는 있잖아, 네가
정말, 정말, 정말 좋아.

미야니시 다쓰야 • 1956년 일본 시즈오카에서 태어나 일본대학 예술학부 미술학과를 졸업했습니다. 《오늘은 정말 운이 좋은걸》로 제30회 고단샤 출판문화상 그림책상을 받았고, 《우와! 신기한 사탕이다》로 제13회 일본 그림책상 독자상을 받았습니다. 쓰고 그린 책으로 《메리 크리스마스, 늑대 아저씨!》, 《찬성!》, 《개구리의 낮잠》, 《진짜 영웅》 들과 '고 녀석 맛있겠다' 시리즈, '아빠는 울트라맨' 시리즈가 있습니다.

이기웅 • 1975년 제주에서 태어났습니다. 출판사에서 일하면서 일본 문학을 번역하고 소개하는 일을 하고 있습니다. 옮긴 책으로 《손가락 문어》, 《스스로 닦을 수 있니?》, 《나는 태양》 들이 있습니다.

 작가의 말

아이는 엄마를 무척 좋아합니다. 걸핏하면 혼내는 엄마라도 말이지요. 엄마는 아이를 혼냅니다. 때로는 감정적으로 혼낼 때도 있습니다. 착각해서 혼낼 때도 있습니다. 그래도 아이는 엄마를 좋아합니다. 엄마에게 혼난 아이는 울면서 잠이 듭니다. 천사처럼 잠든 얼굴을 보면 엄마는 '아, 왜 그런 심한 말을 하고 말았을까.'라고 생각합니다. 그런 엄마를, 아이는 용서해 줍니다. 몇 번이고 몇 번이고 용서해 줍니다. 그리고 웃는 얼굴로 "엄마가 정말 좋아." 하고 말해 줍니다. 이 책을 읽으면 아이를 꼭 껴안고 말해 주세요. 웃는 얼굴로 "엄마도 네가 정말 좋아."라고요.
_ 미야니시 다쓰야